FRENCH
First 1000 Words

Illustrated by
Rachael O'Neill

Translated by
Jean-Luc Barbanneau

CHRYSALIS CHILDREN'S BOOKS

About this book

This illustrated dictionary is just right if you are starting to learn French. You will find lots of clearly labelled thematic pictures. Match up the small drawings around the main pictures to help you learn when to use each French word.

Masculine and feminine words

In French, some words are masculine and some are feminine. There are different words for 'the':

le lapin   (masculine singular)
the rabbit
la maison   (feminine singular)
the house

When the word begins with a vowel (a, e, i, o, u), you use **l'** e.g. **l'orange**

All plural words have the same word for 'the':

les lapins   (masculine plural)
les maisons   (feminine plural)

Accents é à î ç

French vowels often have marks called accents above them, such as **é**, **à** or **î**. They are pronounced differently from vowels without accents. When you see the letter 'c' with an accent underneath it, for example, **le maçon** the 'c' is pronounced like the 's' in 'sock'.

This edition published in the UK in 2003 by Chrysalis Children's Books, an imprint of Chrysalis Books Group PLC, The Chrysalis Building, Bramley Road, London, W10 6SP

Every effort has been made to ensure none of the recommended websites in this book is linked to inappropriate material. However, due to the ever-changing nature of the Internet, the publishers regret they cannot take responsibility for future content of these websites.

British Library Cataloguing in Publication Data for this book is available from the British Library.

ISBN 1 903954 71 1 (hb)
ISBN 1 903954 73 8 (pb)

Printed and bound in China

Internet Links

1. Take an online journey through France: **www.oxfam.org.uk/coolplanet/ontheline/explore/journey/france/frindex.htm**
2. Find out about Bastille Day, the national French holiday when the start of the French Republic is celebrated: **http://lycoskids.infoplease.com/spot/99bastilleday.html**
3. Look at maps of France, and see where France is in Europe: **www.franceway.com/welcome.htm**
4. Find out how Christmas is celebrated in France, past and present: **www.culture.fr/culture/noel/angl/noel.htm**
5. A fun site with lots of information about France, in French or English: **www.zipzapfrance.com/**
6. Test your French with a quick crossword: www.learningplanet.com/act/puzzles.asp and click on France.
7. A nice on-line picture dictionary: **www.enchantedlearning.com/French/**
8. Learn to say some useful phrases in French: **www.fodors.com/language/**. Choose the sort of information you want, then click on a phrase to hear it spoken for you.
9. Try some translation games to see how much French you've learnt: **www.syvum.com/squizzes/french/**
10. Improve your French, try out your skills and learn about France: **http://library.thinkquest.org/18783/**

Summaire Contents

Les vêtements	4	Your clothes
Dans la chambre	6	In the bedroom
Dans la salle de bain	8	In the bathroom
Dans la cuisine	10	In the kitchen
Dans la salle de séjour	12	In the living room
La nourriture	14	Food
Les animaux familiers	16	Pets
Le jeu	18	Play
Dans le jardin	20	In the garden
À l'école	22	At school
Au parc	24	In the park
Le chantier	26	On the building site
À la ville	28	In the town
À la ferme	30	On the farm
Les voyages	32	Travelling
À la plage	34	On the beach
Sous l'eau	36	Underwater
Les animaux sauvages	38	Wild animals
La fête	40	Having a party
La monde des histoires	42	World of stories
Les formes et les couleurs	44	Shapes and colours
Les saisons	46	Seasons
Les jours et les mois	48	Days and months

Les vêtements
Your clothes

la poche
pocket

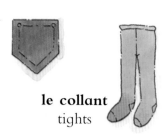

le collant
tights

le T-shirt
T-shirt

le sweat-shirt
sweatshirt

le col
collar

la chemise
shirt

l' anorak (m)
anorak

la manchette
cuff

le cache-oreilles
ear muffs

le capuchon
hood

les bretelles (f)
braces

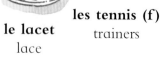

les tennis (f)
trainers

le lacet
lace

la manche
sleeve

le maillot de corps
vest

la chaussure
shoe

la moufle
mitten

le slip
pants

le gant
glove

**la robe
de chambre**
dressing gown

le cordon
cord

la robe-chasuble
pinafore dress

le nœud
bow

le ruban
ribbon

la boutonnière
buttonhole

le bouton
button

le gilet
cardigan

la fermeture Éclair
zip

le jean
jeans

l'écharpe (f)
scarf

la chaussette
sock

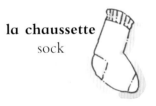

la culotte
knickers

la sandale
sandal

la salopette
dungarees

chaussure en toile
plimsole

la robe
dress

la jupe
skirt

la boucle
buckle

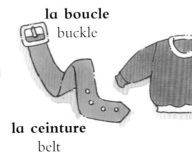

la ceinture
belt

le pull
jumper

5

Dans la chambre
In the bedroom

la batte de base-ball
baseball bat

le cartable
satchel

l'ordinateur (m
computer

l'oreiller (m)
pillow

la couette
quilt

la pantoufle
slipper

le justaucorps
leotard

le pyjama
pyjamas

le cerf-volant
kite

le xylophone
xylophone

le puzzle
jigsaw puzzle

l'échelle (f)
ladder

la boîte
box

le livre
book

la masison poupée
doll's house

6

le Thermos
Thermos flask

le bureau
desk

le cintre
hanger

le tambour
drum

le miroir
mirror

l'armoire (f)
wardrobe

le dessin
drawing

la bibliothèque
bookcase

le drap
sheet

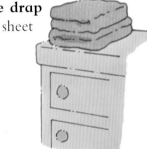

la commode
chest of drawers

les vêtements (m) de poupée
doll's clothes

le petit train
train set

le crayon de couleur
crayon

la trousse
pencil case

le crayon
pencil

l'album (m) de coloriage
colouring book

le château
castle

Dans la salle de bain
In the bathroom

le pèse-personne
bathroom scales

le rideau de douche
shower curtain

la douche
shower

le savon
soap

le bonnet de douche
shower cap

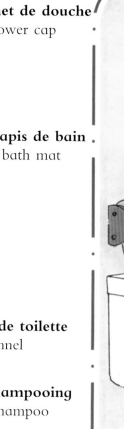

le tapis de bain
bath mat

le gante de toilette
flannel

le shampooing
shampoo

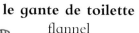

le porte-serviette
towel rail

le panier à linge
laundry basket

la baignoire
bath

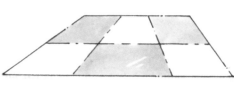

le carrelage
floor tile

l'éponge (f)
sponge

8

le papier hygiénique
toilet paper

la lunette
toilet seat

l'aérateur (m)
fan

le coton
cotton wool

l'armoire (f) à pharmacie
cabinet

le dentifrice
toothpaste

la brosse à dents
toothbrush

le gobelet
beaker

le robinet
tap

le miroir
mirror

le porte-savon
soap dish

la serviette de bain
bath towel

le marchepied
stool

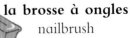
la brosse à ongles
nailbrush

les toilettes (f)
toilet

la lavabo
washbasin

Dans la cuisine
In the kitchen

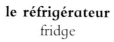
le congélateur
freezer

le réfrigérateur
fridge

la machine à laver
washing machine

la bonde
plug

l'assiette (f)
plate

la cuisinière
cooker

le four
oven

la cuillère
spoon

la lumière
light

la fourchette
fork

le couteau
knife

la table
table

le saladier
bowl

le carrelage
tile

le robinet
tap

l'évier (m)
sink

l'égouttoir (m)
draining board

le grille-pain
toaster

la tasse
cup

la poubelle
rubbish bin

l'horloge (f)
clock

la poêle
frying pan

le pichet
jug

le placard
cupboard

le plan de travail
worktop

le store
blind

le tabouret
stool

la boîte à biscuits
biscuit tin

le tiroir
drawer

la fenêtre
window

Dans la salle de séjour
In the living room

la peinture
painting

l'antenne (f)
aerial

le magazine
magazine

la tringle à rideau
curtain pole

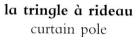

le rideau
curtain

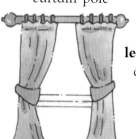

le rebord de fenêtre
windowsill

la photographie
photograph

le bougeoir
candlestick

la guitare
guitar

la carpette
rug

la bande dessinée
comic

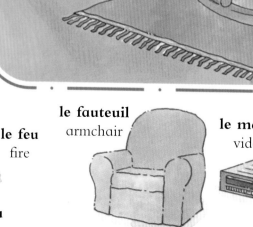

le fauteuil
armchair

le feu
fire

le magnétoscope
video recorder

la télévision
television

le garde-feu
fireguard

la radio
radio

le radiateur
radiator

le téléphone
telephone

la table basse
coffee table

le vase
vase

le haut-parleur
loudspeaker

le tourne-disque
record player

le magnétophone
tape recorder

le lecteur laser
compact disc player

la télécommande
remote control

l'abat-jour (m)
lampshade

la lampe
lamp

le dessus de cheminée
mantlepiece

la cheminée
fireplace

le tapis
carpet

le fauteuil à bascule
rocking chair

le canapé
settee

le journal
newspaper

La nourriture
Food

les spaghettis (m)
spaghetti

le poivre
pepper

le sel
salt

l'huile (f)
oil

la viande hachée
mince

l'épice (f
spice

le fromage
cheese

la soupe
soup

le sucre
sugar

le raisin
grape

la poire
pear

les frites (f)
chips

le hamburger
hamburger

l'œuf (m)
egg

le café
coffee

la confiture
jam

les chips (f)
crisps

le miel
honey

14

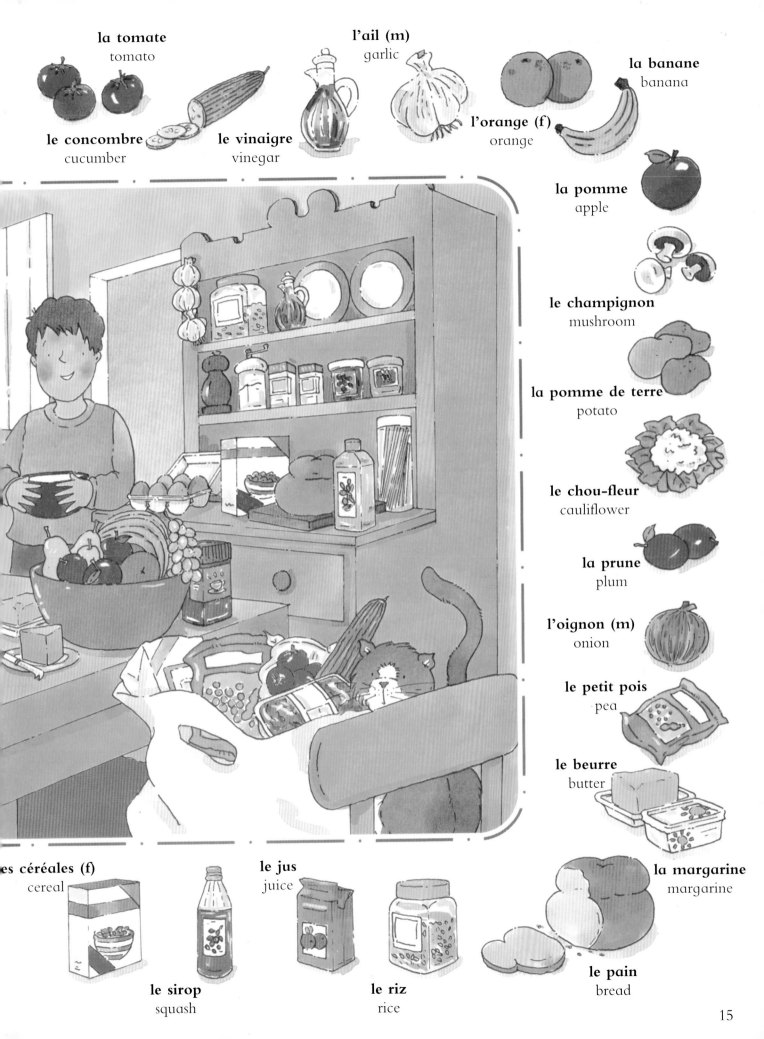

la tomate
tomato

l'ail (m)
garlic

la banane
banana

le concombre
cucumber

le vinaigre
vinegar

l'orange (f)
orange

la pomme
apple

le champignon
mushroom

la pomme de terre
potato

le chou-fleur
cauliflower

la prune
plum

l'oignon (m)
onion

le petit pois
pea

le beurre
butter

la margarine
margarine

es céréales (f)
cereal

le jus
juice

le sirop
squash

le riz
rice

le pain
bread

15

Les animaux familiers
Pets

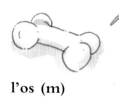

la litière
bedding

l'os (m)
bone

le bec
beak

le barreau
bar

la cage du hamster
hamster house

le hamster
hamster

les algues (f)
seaweed

le grillage
wire netting

la gamelle
food bowl

la queue
tail

le chiot
puppy

la roue
wheel

la gourde
water bottle

le tube
tube

16

la nourriture pour chiens et chats
pet food

le cochon d'Inde
guinea pig

le lapin
rabbit

le clapier
hutch

la cage
cage

la gerbille
gerbil

le nichoir
nesting box

le chaton
kitten

la fourrure
fur

la tortue
tortoise

l'aile (f)
wing

le perroquet
parrot

la griffe
claw

la patte
paw

la perruche
budgerigar

17

Le jeu
Play

les patins (m) à roulettes
roller skates

le parachute
parachute

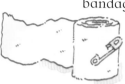

la bande
bandage

le vaisseau spatial
spacecraft

le skate-board
skateboard

**la tenue
de cow-boy**
cowboy outfit

la corde à sauter
skipping rope

le ballon de football
football

l'arche (f) de Noé
Noah's ark

le gobelet
beaker

le dé
dice

le jeu de société
board game

la bille
marble

le yo-yo
yo-yo

18

l'arc (m)
bow
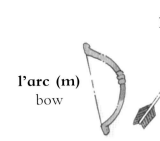

le tableau noir
chalkboard

la flèche
arrow

la craie
chalk

le Légo
Lego

la cible
target

la pâte à modeler
modelling clay

la tente
tent

la marionnette à gaine
glove puppet

la montre
watch

le château
castle
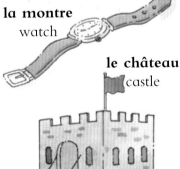
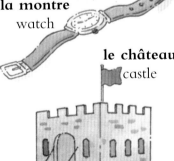

le stéthoscope
stethoscope

la sacoche de médecin
doctor's bag

la tenue de médecin
doctor's outfit

la tenue d'infirmière
nurse's outfit

la ferme miniature
toy farm

19

Dans le jardin
In the garden

la porte de derrière
backdoor

la marche
step

la chatière
cat flap

la plate-bande
flower bed

la bordure
border

la pelouse
lawn

la mangeoire
bird table

la cacahuète
peanut

la noix de coco
coconut

la souche d'arbre
tree stump

le pissenlit
dandelion

le mur
wall

le tuyau d'arrosage
hose

le tricycle
tricycle

le balai
broom

la fourche
garden fork

la botte
boot

la mauvaise herbe
weed

la famille
family

la chute d'eau
waterfull

le jardin de rocaille
rock garden

le nénuphar
waterlily

le jardin sauvage
wild garden

les oiseaux (m) du jardin
garden birds

la cabane
shed

l'arbuste (m)
shrub

l'allée (f)
terrace

la tondeuse
lawnmower

le râteau
rake

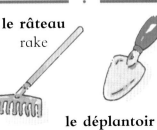

le déplantoir
trowel

la pelle
spade

le pot de fleurs
flowerpot

la jardinière
window box

21

À l'école
At school

la feuille
leaf

la carte
map

le lecteur (m)
la lectrice (f)
reader

l'ordinateur (m)
computer

le porte-manteau
peg

le manteau
coat

le coin nature
nature table

le coffre à jouets
toy box

la corbeille à papier
wastepaper bin

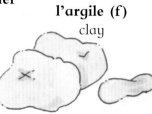
l'argile (f)
clay

la peinture
paint

le pinceau
paintbrush

le fossile
fossil

la punaise
drawing pin

le panneau d'affichage
pinboard

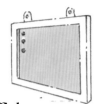

la gomme
rubber

les ciseaux (m)
scissors

l'instituteur (m)
l'institutrice (f)
teacher

la brosse à colle
paste brush

la règle
ruler

la colle
paste

le support visuel
flashcard

la bibliothèque
library

l'alphabet (m)
alphabet

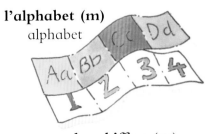

les chiffres (m)
numbers

le jeu
de construction
building block

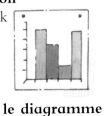

le diagramme
chart

la maquette
cardboard model

Au parc
In the park

le court de tennis
tennis court

le café
café

le hochet
rattle

le bébé
baby

la poussette
pushchair

le manège
roundabout

**la cage
à poules**
climbing frame

le toboggon
slide

l'aire de jeu (f)
playground

la balançoire
seesaw

le bac à sable
sandpit

la laisse
lead

le pigeon
pigeon

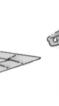

la balle de tennis
tennis ball

24

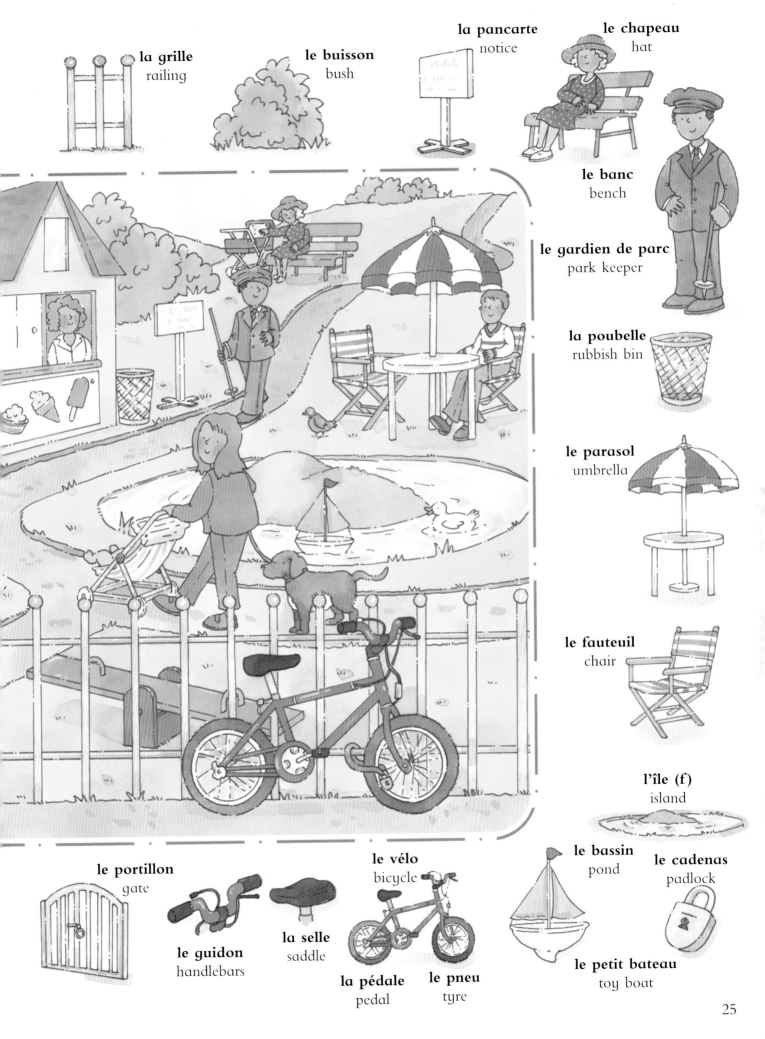

la grille
railing

le buisson
bush

la pancarte
notice

le chapeau
hat

le banc
bench

le gardien de parc
park keeper

la poubelle
rubbish bin

le parasol
umbrella

le fauteuil
chair

l'île (f)
island

le bassin
pond

le cadenas
padlock

le portillon
gate

le vélo
bicycle

le guidon
handlebars

la selle
saddle

la pédale
pedal

le pneu
tyre

le petit bateau
toy boat

25

Le chantier
On the building site

l'échafaudage (m)
scaffolding

le camion-benne
tipper truck

le goudron
tarmac

la tour
tower block

la pelleteuse
digger

le rouleau
steamroller

le compresseur
compressor

le chargeur
loader

le maçon
bricklayer

la brique
brick

le dumper
dumper truck

la brouette
wheelbarrow

la roue
wheel

26

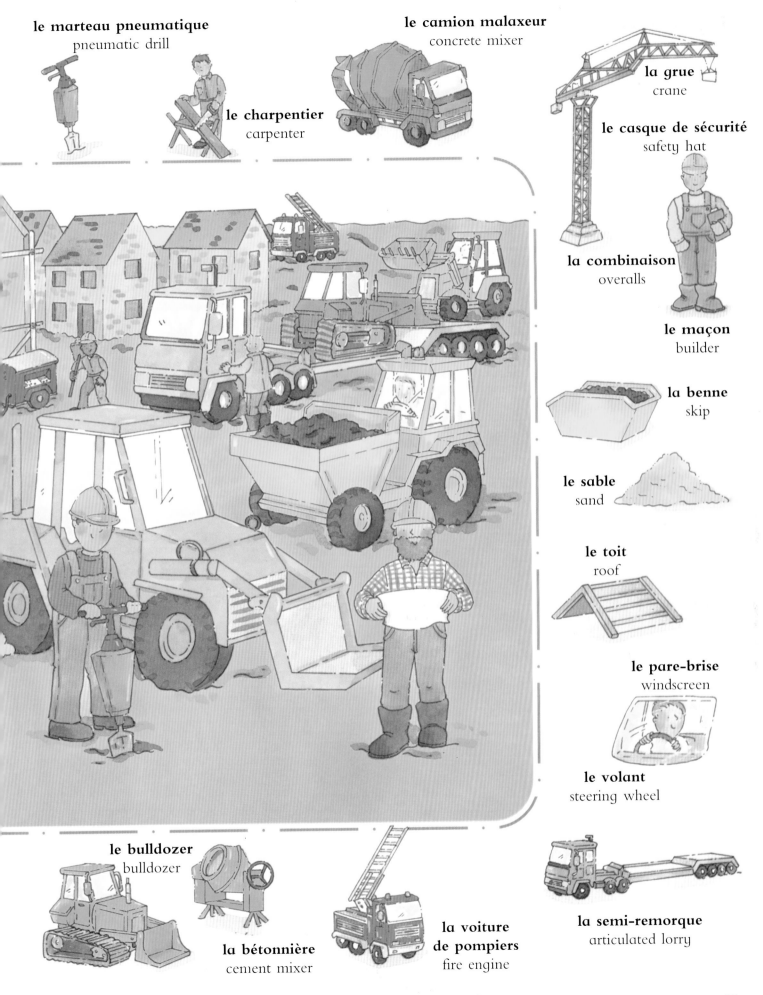

le marteau pneumatique
pneumatic drill

le charpentier
carpenter

le camion malaxeur
concrete mixer

la grue
crane

le casque de sécurité
safety hat

la combinaison
overalls

le maçon
builder

la benne
skip

le sable
sand

le toit
roof

le pare-brise
windscreen

le volant
steering wheel

le bulldozer
bulldozer

la bétonnière
cement mixer

**la voiture
de pompiers**
fire engine

la semi-remorque
articulated lorry

À la ville
In the town

le passage pour piétons
crossing

l'hôtel (m) de ville
town hall

le réverbère
lamp post

l'ambulance (f)
ambulance

l'hôpital (m)
hospital

le voiture
car

l'agent de police (m)
police officer

le contractuel (m)
la contractuelle (f)
traffic warden

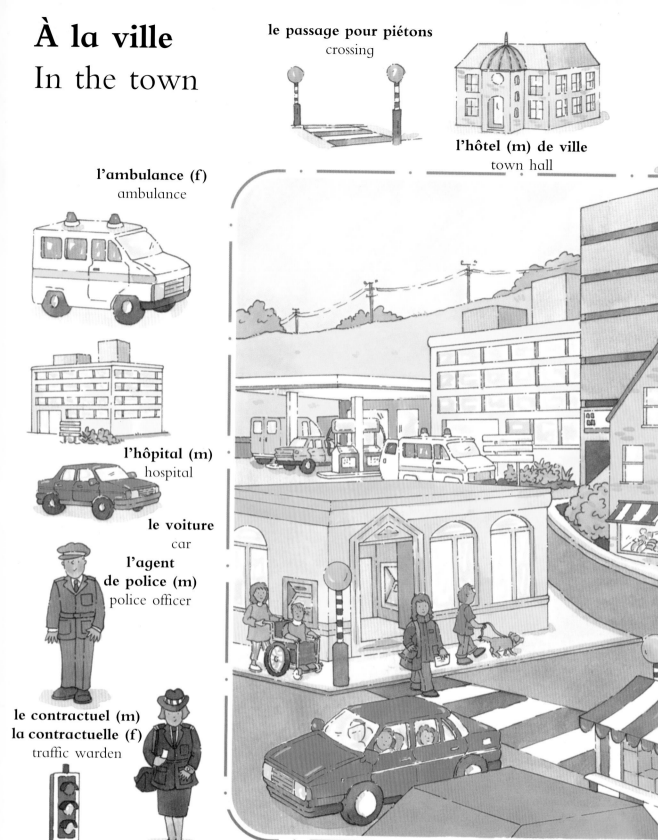

le pompe à essence
petrol pump

les feux (m)
traffic lights

le fauteuil roulant
wheelchair

le camion
truck

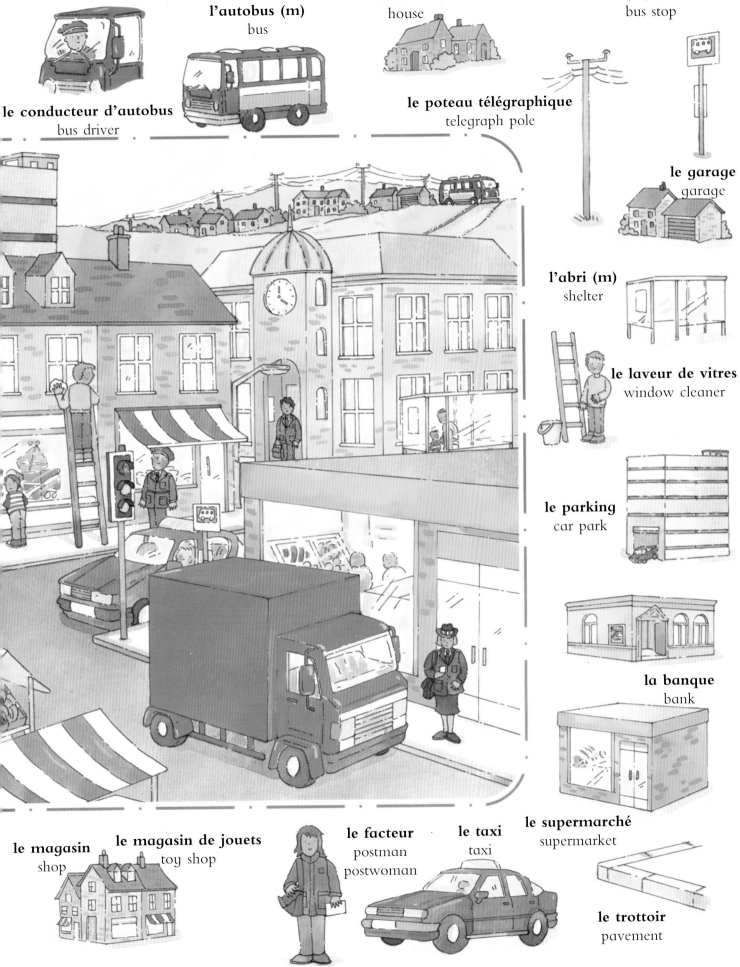

le conducteur d'autobus
bus driver

l'autobus (m)
bus

la maison
house

l'arrêt (m) d'autobus
bus stop

le poteau télégraphique
telegraph pole

le garage
garage

l'abri (m)
shelter

le laveur de vitres
window cleaner

le parking
car park

la banque
bank

le magasin
shop

le magasin de jouets
toy shop

le facteur
postman
postwoman

le taxi
taxi

le supermarché
supermarket

le trottoir
pavement

29

À la ferme
On the farm

le foin
hay

le fossé
ditch

le poulain
foal

le cheval
horse

le taureau
bull

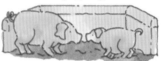
la porcherie
pig sty

le cochon
pig

le porcelet
piglet

la grange
barn

l'auge (f)
trough

le chien de berger
sheepdog

le fermier
farmer

la vache
cow

le veau
calf

l'oie (f)
goose

l'oison (m)
gosling

l'écurie (f)
stable

30

l'épouvantail (m)
scarecrow

le tracteur
tractor

la remorque
trailer

la poule
hen

le poussin
chick

le poulailler
hen house

l'étable (f)
cowshed

le mur
wall

la barrière
gate

le verger
orchard

l'échelle (f)
ladder

le caneton
duckling

le mouton
sheep

le camion
truck

l'agneau (m)
lamb

le canard
duck

la mare aux canards
duck pond

la cour de ferme
farmyard

31

Les voyages
Travelling

la montgolfière
hot air ballon

le voilier
sailing boat

le lac
lake

l'hélicoptère (m)
helicopter

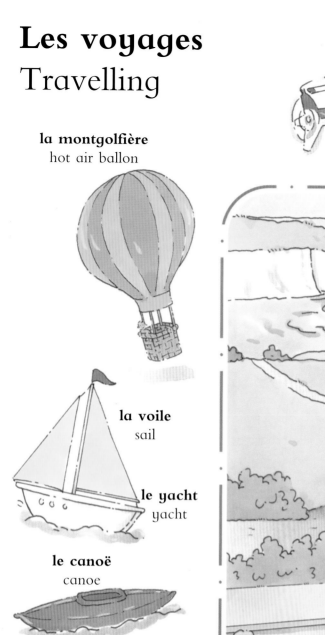

la voile
sail

le yacht
yacht

le canoë
canoe

le pont
bridge

le tunnel
tunnel

la voiture
car

la péniche
canal boat

le canal
canal

la rame
oar

l'avion (m)
aeroplane

le ferry
ferry boat

la pale du rotor
rotor blade

l'aéroglisseur (m)
hovercraft

l'aéroport (m)
airport

la moto
motorbike

la gare
station

le quai
platform

le billet
ticket

le chef de gare
guard

le conducteur
driver

l'autoroute (f)
motorway

le chemin de fer
railway

le train
train

le wagon
carriage

33

À la plage
On the beach

la mer
sea

la falaise
cliff

la plage
beach

le coupe-vent
windbreak

la chaise longue
deckchair

l'hôtel (m)
hotel

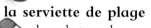
le lait solaire
suntan lotion

**les lunettes (f)
de soleil**
sunglasses

la serviette de plage
beach towel

le seau
bucket

la pelle
spade

le ballon de plage
beach ball

**le panier
de pique-nique**
picnic basket

les algues (f)
seaweed

la crevette
shrimp

le tuba
snorkel

**les lunettes (f)
de plongée**
goggles

le brassard de sauvetage
armband

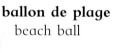

34

la jetée
pier
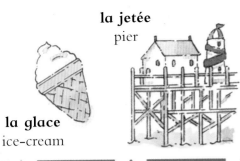

la glace
ice-cream

l'épuisette (f)
net

le galet
pebble

le coquillage
shell

le château de sable
sandcastle

les douves (f)
moat

le drapeau
flag

la vague
wave

le phare
lighthouse

la planche à voile
windsurfer

la planche de surf
surfboard

la palme
flipper

la mouette
seagull

le gilet de sauvetage
lifejacket

le mât
mast

le voilier
sailing boat

le canot à moteur
motor boat

Sous l'eau
Underwater

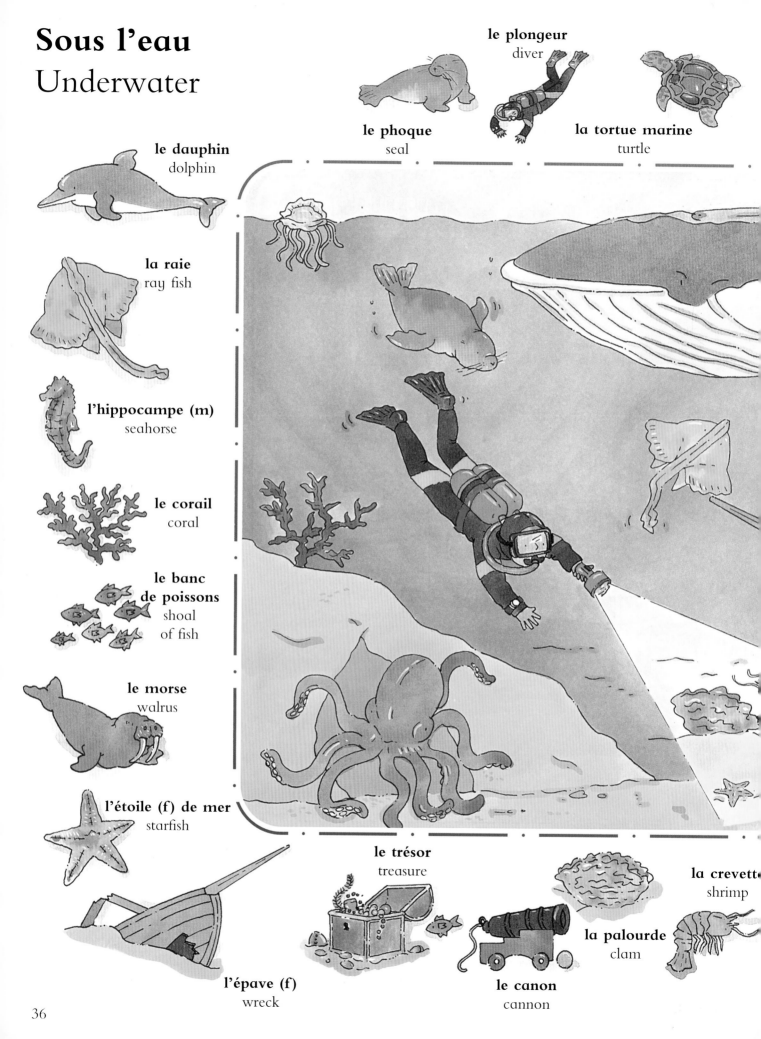

le plongeur
diver

le phoque
seal

la tortue marine
turtle

le dauphin
dolphin

la raie
ray fish

l'hippocampe (m)
seahorse

le corail
coral

**le banc
de poissons**
shoal
of fish

le morse
walrus

l'étoile (f) de mer
starfish

le trésor
treasure

la crevette
shrimp

la palourde
clam

l'épave (f)
wreck

le canon
cannon

36

le scaphandre autonome
aqualung

la torche
torch

le masque de plongée
face mask

la baleine
whale

**la combinaison de
plongée**
wet suit

la pieuvre
octopus

la tentacule
tentacle

la ventouse
sucker

**l'anémone (f)
de mer**
sea anemone

la grotte
cave

l'espadon (m)
swordfish

la nageoire
fin

le homard
lobster

la méduse
jellyfish

l'huître (f)
oyster

l'anguille (f)
eel

le requin
shark

Les animaux sauvages
Wild animals

le singe
monkey

l'hippopotame (m)
hippopotamus

le serpent
snake

la chèvre
goat

le zèbre
zebra

le kangourou
kangaroo

la girafe
giraffe

le pélican
pelican

la corne
horn

le rhinocéros
rhinoceros

le lézard
lizard

le lion **la lionne**
lion lioness

le lionceau
lion cub

le chameau
camel

l'alligator (m)
alligator

les bois (m)
antlers

le cerf
deer

le guépard
cheetah

le tigre
tiger

le lama
llama

l'autruche (f)
ostrich

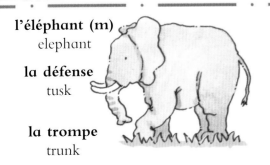

l'éléphant (m)
elephant

la défense
tusk

la trompe
trunk

le camion
van

le léopard
leopard

le flamant
flamingo

39

La fête
Having a party

la baguette magique
magic wand

le magicien
magician

le colis
parcel

la grande cape
cloak

la paille
straw

le gâteau
cake

la guirlande électrique
fairy lights

le hot-dog
hot dog

le ballon
balloon

la bougie
candle

la nappe
tablecloth

l'assiette (f) en carton
paper plate

le gobelet en carton
paper cup

la serviette en papier
paper napkin

le noeud
bow

la carte
card

le sifflet en papier
party squeaker

la couronne en papier
paper hat

le serpentin
streamer

le ruban
ribbon

la robe de fête
party dress

le diablotin
cracker

la guirlande de papier
paper chain

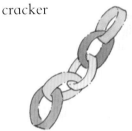

la fleur en papier
paper flower

la boisson
drink

**le chapeau
haut-de-forme**
top hat

le mouchoir
handkerchief

le cadeau
present

41

Le monde des histoires
World of stories

le dragon
dragon

la lune
moon

le gnome
gnome

les spectateurs (m)
audience

l'épeé (f)
sword

le bouclier
shield

le panache
plume

le casque
helmet

l'armure (f)
armour

le chevalier
knight

la reine
queen

le roi
king

le pirate
pirate

le sorcier
wizard

le chaudron
cauldron

le monstre
monster

le hibou
owl

le clown
clown

le château
castle

le fantôme
ghost

la fée
fairy

le géant
giant

le bouffon
jester

la licorne
unicorn

la couronne
crown

le prince
prince

la princesse
princess

le manche à balai
broomstick

la sorcière
witch

le champignon vénéneux
toadstool

la maquillage
make-up

le bois enchanté
enchanted wood

43

Les formes et les couleurs
Shapes and colours

le sommet
top

le bas
bottom

en bas
down

en haut
up

étroit/étroite
narrow

large
wide

joyeux/joyeuse
happy

triste
sad

gros/grosse
fat

mince
thin

dur/dure
hard

mou/molle
soft

neuf/neuve
new

vieux/vieille
old

orange
orange

vert/verte
green

jaune
yellow

violet/violette
purple

rose
pink

bleu/bleue
blue

gris/grise
grey

blanc/blanche
white

noir/noire
black

marron
brown

rouge
red

le rectangle
rectangle

le carré
square

l'étoile
star

le cercle
circle

la sphère
sphere

le cube
cube

le triangle
triangle

court/courte
short

grand/grande
tall

petit/petite
short

long/longue
long

l'arc-en-ciel (m)
rainbow

45

Les saisons
Seasons

la luge
sledge

le bonhomme de neige
snowman

le flocon de neige
snowflake

l'arbre vert (m)
evergreen tree

la neige
snow

la branche
branch

la boule de niege
snowball

le nid
nest

les fleurs (f)
blossom

l'agneau (m)
lamb

l'averse (f)
rain shower

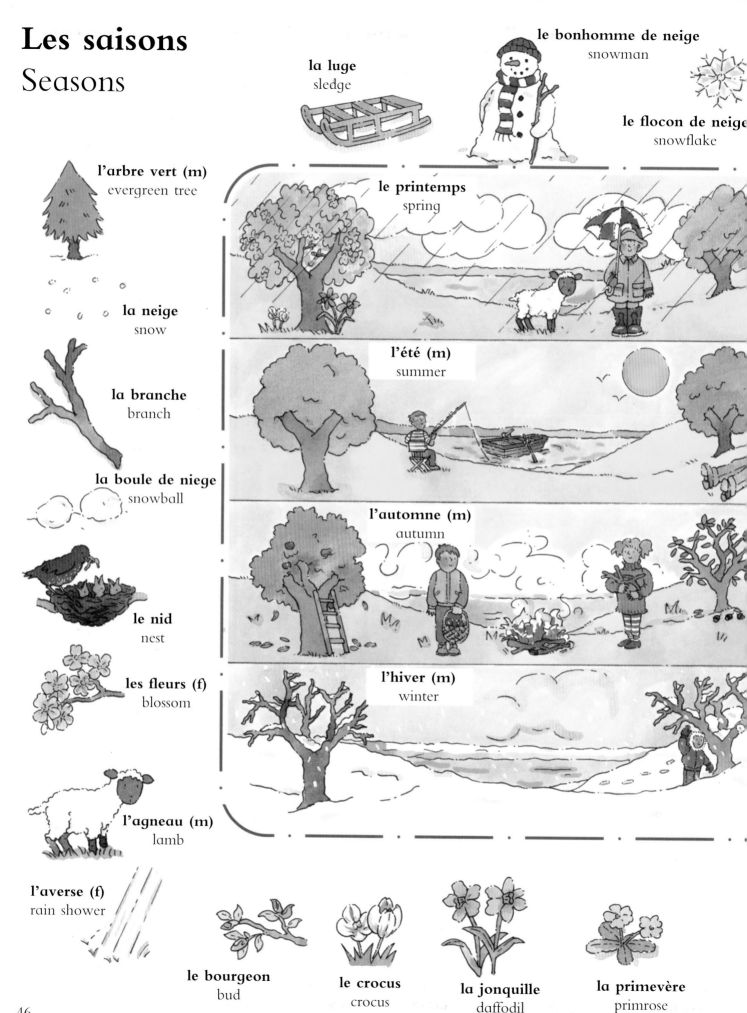

le printemps
spring

l'été (m)
summer

l'automne (m)
autumn

l'hiver (m)
winter

le bourgeon
bud

le crocus
crocus

la jonquille
daffodil

la primevère
primrose

la rivière
river

la rive
river bank

le roseau
reed

le pêcheur
angler

la barque
rowing boat

le pique-nique
picnic

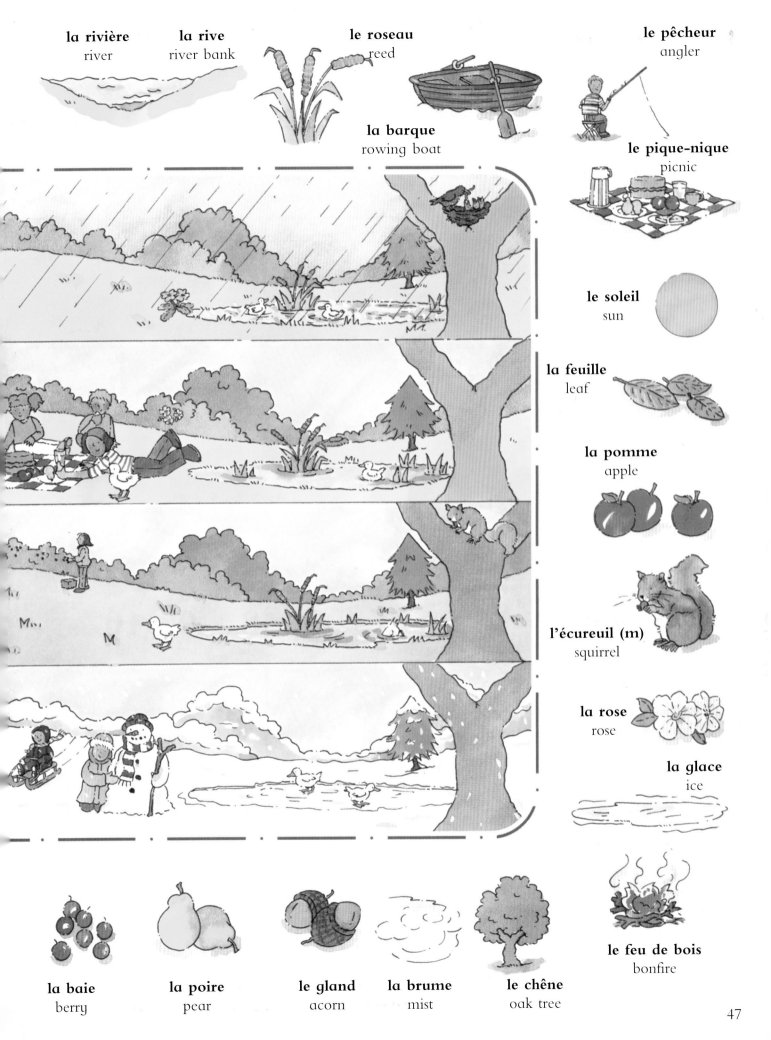

le soleil
sun

la feuille
leaf

la pomme
apple

l'écureuil (m)
squirrel

la rose
rose

la glace
ice

le feu de bois
bonfire

la baie
berry

la poire
pear

le gland
acorn

la brume
mist

le chêne
oak tree

Les jours de la semaine
Days of the week

lundi
Monday

mardi
Tuesday

mercredi
Wednesday

jeudi
Thursday

vendredi
Friday

samedi
Saturday

dimanche
Sunday

le weekend
the weekend

Les mois de l'année
Months of the year

janvier
January

avril
April

juillet
July

octobre
October

février
February

mai
May

août
August

novembre
November

mars
March

juin
June

septembre
September

décembre
December

1	2	3	4	5	6	7	8	9	10
un	deux	trois	quatre	cinq	six	sept	huit	neuf	dix

11	12	13	14	15	16	17	18	19	20
onze	douze	treize	quatorze	quinze	seize	dix-sept	dix-huit	dix-neuf	vingt

21	22	23	24	25
vingt et un	vingt-deux	vingt-trois	vingt-quatre	vingt-cinq

30	40	50	60	70	80	90
trente	quarante	cinquante	soixante	soixante-dix	quatre-vingts	quatre-vingt-dix

100	1,000	1,000,000
cent	mille	million